O HOMEM É AQUILO QUE ELE PENSA

James Allen

O HOMEM É AQUILO QUE ELE PENSA

Tradução
Gulnara Lobato de Morais Pereira

Editora Pensamento
SÃO PAULO

Título original: *As a Man Thinketh*.
Copyright da edição brasileira © 1983 Editora Pensamento-Cultrix Ltda.
1ª edição 1983.
2ª edição 2016.
9ª reimpressão 2023.
Todos os direitos reservados. Nenhuma parte desta obra pode ser reproduzida ou usada de qualquer forma ou por qualquer meio, eletrônico ou mecânico, inclusive fotocópias, gravações ou sistema de armazenamento em banco de dados, sem permissão por escrito, exceto nos casos de trechos curtos citados em resenhas críticas ou artigos de revistas.

A Editora Pensamento não se responsabiliza por eventuais mudanças ocorridas nos endereços convencionais ou eletrônicos citados neste livro.

Editor: Adilson Silva Ramachandra
Editora de texto: Denise de Carvalho Rocha
Gerente editorial: Roseli de S. Ferraz
Produção editorial: Indiara Faria Kayo
Editoração eletrônica: Fama Editora
Revisão: Vivian Miwa Matsushita

Dados Internacionais de Catalogação na Publicação (CIP)
(Câmara Brasileira do Livro, SP, Brasil)

Allen, James, 1864-1912.
   O homem é aquilo que ele pensa / James Allen ; tradução Gulnara Lobato de Morais Pereira. — 2. ed. — São Paulo : Pensamento, 2016.

   Título original: As a man thinketh.
   ISBN 978-85-315-1943-7
   1. Autoajuda 2. Pensamentos I. Título.

16-02985   CDD-158.1

Índices para catálogo sistemático:
1. Autoajuda : Psicologia aplicada 158.1

Direitos reservados.
EDITORA PENSAMENTO-CULTRIX LTDA.
Rua Dr. Mário Vicente, 368 — 04270-000 — São Paulo, SP
Fone: (11) 2066-9000
http://www.editorapensamento.com.br
E-mail: atendimento@editorapensamento.com.br
Foi feito o depósito legal.

Sumário

Prefácio 9

Pensamento e Caráter 11

Efeito dos Pensamentos sobre as Circunstâncias... 19

Efeito do Pensamento sobre a Saúde e o Corpo..... 37

Pensamento e Objetivo 43

O Fator-Pensamento na Realização 49

Visões e Ideais 57

Serenidade 65

A Mente é a Força-Mestra que molda e faz,
E o Homem é Mente, e sem cessar maneja
A ferramenta do Pensamento.
Com ela forja o que deseja
E cria em profusão alegrias e males —
Pensa em segredo, e tudo acontece:
Seu ambiente não passa de seu próprio espelho.

Prefácio

Este pequeno volume (resultado de meditação e experiência) não tem a pretensão de ser um exaustivo tratado sobre o tão debatido tema do poder do pensamento. É, antes, mais sugestivo que explanatório, e seu objetivo é estimular homens e mulheres a descobrir e a perceber a verdade de que

"Eles são os construtores de si próprios"

em virtude dos pensamentos que escolhem e incentivam; que a mente é a tecelã-mestra, tanto da veste íntima do caráter como da veste exterior da circunstância, e que, assim como podem ter, até aqui, tecido tais vestes em ignorância e sofrimento, poderão agora tecê-las com esclarecimento e felicidade.

James Allen

Pensamento e Caráter

Pensamento e Caráter

O aforismo "O homem é aquilo que ele pensa" não só abrange por inteiro o ser do homem, como tal abrangência chega ao ponto de envolver todas as condições e circunstâncias de sua vida. O homem é, literalmente, *aquilo que ele pensa,* seu caráter não passa da soma total de todos os seus pensamentos.

Assim como a planta brota, e não poderia brotar se não fosse a semente, também cada ato do homem brota das sementes ocultas do pensamento, e sem elas não poderia surgir. Isso se aplica igualmente àqueles atos ditos "espontâneos" e "não premeditados" e aos que são deliberadamente praticados.

O ato é a flor do pensamento, e a alegria e o sofrimento, seus frutos; e assim vai recolhendo o homem o produto doce ou amargo de sua própria seara.

"Ainda na mente é o pensamento que nos molda.
 O que somos
Foi construído na forja das ideias.
 Se de maus pensamentos
nos alimentamos, cada um deles será seguido pela dor
 do mesmo modo
que a roda do carro segue os bois...
 ... Se preservarmos
Em pureza aquilo que pensamos, será a felicidade
que como a nossa própria sombra nos há de
 acompanhar."

O homem é um produto da Lei e não do artifício, e causa e efeito são tão absolutos e inevitáveis no plano secreto do pensamento quanto no mundo das coisas visíveis e materiais. Um caráter nobre, à semelhança de Deus, não é algo que se possa atribuir ao favor ou ao acaso, mas é, sim, o resultado natural de um contínuo esforço de reto-pensar, o efeito de um prolongado anseio de associação com o pensamento de Deus. Um caráter ignóbil e bestial, pelo mesmo processo, é o resultado de um constante acolhimento a pensamentos vis.

O homem por si mesmo se faz ou se destrói; no arsenal das ideias forja as armas com que ele próprio se destrói; molda também os instrumentos com os quais constrói para si mesmo paradisíacas mansões de alegria, força e paz. Pela escolha acertada e pela legítima aplicação do pensamento, o homem ascende à Divina Perfeição; pelo abuso e má aplicação do pensamento, ele desce abaixo do nível do animal. Entre esses dois extremos se encontram todas as gradações do caráter, e o homem é quem as modela e controla.

De todas as belas verdades pertencentes à alma que foram restauradas e trazidas à luz neste século, nenhuma é mais risonha ou mais rica em divinas promessas e em confiança do que esta — a de que o homem é o senhor do pensamento, o modelador do caráter e o construtor e forjador da condição, do meio e do destino.

Como um ser dotado de Força, de Inteligência e de Amor e senhor de seus próprios pensamentos, o homem tem nas mãos a chave de todas as situações e encerra em si mesmo o elemento transformador e regenerador por meio do qual pode fazer de si próprio o que quiser.

O homem é sempre o senhor, mesmo que entregue às maiores fraquezas e ao máximo abandono; mas em sua fraqueza e degradação continua sendo o insensato senhor que desgoverna sua própria casa. Quando ele começa a refletir sobre o seu estado e a procurar diligentemente a Lei sob a qual foi criado, começa a se tornar um senhor ajuizado, capaz de dirigir com inteligência suas energias e a ajustar seus pensamentos, visando a fins frutíferos. Esse é o senhorio *consciente* que o homem só atinge quando descobre dentro *de si mesmo* as leis do pensamento, descoberta essa que é inteiramente uma questão de aplicação, autoanálise e experiência.

Só através de grande procura e mineração é possível encontrar ouro e diamantes, e todas as verdades ligadas ao seu ser podem ser encontradas pelo homem se ele explorar em profundidade a mina de sua alma; e se observar, controlar e alterar seus pensamentos, rastreando-lhes os efeitos sobre si próprio e sobre os outros, sobre sua vida e circunstâncias, ligando causa e efeito por meio de um paciente exercício e da investigação e utilizando cada experiência, mesmo a mais trivial, cada ocorrência cotidiana, como um meio de obter o conhecimento de si mesmo que é Compreensão, Sabedoria e Poder, acabará infalivelmente por provar que ele é o construtor do seu próprio caráter, o modelador de sua vida e o edificador de seu destino. Nessa direção e em nenhuma outra é que nos aponta a lei absoluta segundo a qual "Aquele que busca achará e àquele que bate abrir-se-lhe-á"; pois só pela paciência, pela prática e incessante insistência pode o homem transpor a Porta do Templo do Conhecimento.

Efeito dos Pensamentos sobre as Circunstâncias

Efeito dos Pensamentos sobre as Circunstâncias

A mente do homem pode ser comparada a um jardim cultivado com inteligência ou entregue ao abandono; quer o cultivem ou o abandonem, forçosamente *brotará*. Se nada de bom *nele for semeado,* más sementes de ervas daninhas se espalharão em abundância e continuarão a multiplicar-se.

Assim como um jardineiro cultiva sua terra, conservando-a livre do mato e plantando flores e frutos que lhe são necessários, assim também o homem cultiva o jardim de sua mente, arrancando todos os pensamentos maus, inúteis e impuros e cultivando, com vistas à perfeição, as flores e os frutos de pensamentos justos, úteis e puros. Adotando esse processo, mais cedo ou mais tarde descobriremos que somos o jardineiro-chefe de nossas almas, o dirigente de nossas vidas. Com isso, revelamos também, dentro de nós mesmos, as leis do pensamento e compreendemos, com crescente exatidão, como as forças do pensamento e os fatores mentais operam na formação do nosso caráter, das circunstâncias e do destino.

Pensamento e caráter são uma só coisa, e como o caráter só pode manifestar-se e revelar-se através do meio e das circunstâncias, as condições externas da vida de uma pessoa mostrar-se-ão sempre harmoniosamente relacionadas com seu estado íntimo. Isso não significa que as circunstâncias que cercam o homem em qualquer tempo sejam um indício de seu caráter *como um todo*, mas que tais circunstâncias se encontram tão intimamente ligadas a algum fator-pensamento vital em seu interior que, naquele momento, elas são indispensáveis para o seu desenvolvimento.

Todo homem está onde está pela lei do seu ser; os pensamentos que ele incorporou ao seu caráter colocaram-no ali, e na disposição de sua vida não existe nenhum fator casual, mas tudo é o resultado de uma lei que não pode falhar. Isso é tão verdade em relação àqueles que se sentem "em desarmonia" com o seu meio, como aos que se sentem satisfeitos com ele.

Como um ser que progride e evolui, o homem está onde está para que possa aprender que tem que crescer; e na medida em que consegue aprender a lição espiritual que cada circunstância lhe oferece, esta passa e cede lugar a outras.

O homem é golpeado pelas circunstâncias enquanto acredita ser ele próprio o produto de condições externas, mas quando compreende que representa uma força criativa e que pode dominar o solo oculto e as sementes de seu ser dos quais brotam as circunstâncias, torna-se o legítimo senhor de si próprio.

Que as circunstâncias nascem do pensamento é algo que todo homem que tenha praticado durante algum tempo o autocontrole e a autopurificação sabe, pois terá notado que a modificação de tudo o que lhe ocorre se operou na exata proporção em que ele modificou seu estado mental. Isso é tão verdade que quando nos aplicamos sinceramente a corrigir os defeitos de nosso caráter e fazemos rápidos e marcantes progressos, em pouco tempo passamos por uma série de vicissitudes.

A alma atrai aquilo que ela secretamente abriga; aquilo que ela ama e também aquilo que teme; ela atinge o apogeu de suas mais caras aspirações e desce ao nível de seus desejos impuros — e as circunstâncias são os meios pelos quais a alma recebe o que lhe é devido.

Toda semente-pensamento que se semeie ou deixe cair e arraigar-se na mente multiplica-se e, mais cedo ou mais tarde, dela brota o ato, trazendo os frutos de oportunidade e circunstância próprios de sua espécie. Bons pensamentos darão bons frutos, maus pensamentos, maus frutos.

O mundo exterior das circunstâncias molda-se ao mundo interior do pensamento, e as condições externas, tanto as agradáveis quanto as desagradáveis, são fatores que contribuem em seu resultado final para o bem do indivíduo. Como ceifeiros de sua própria colheita, o homem aprende tanto pelo sofrimento quanto pela felicidade.

Seguindo os mais secretos desejos, aspirações e pensamentos pelos quais se deixa dominar, perseguindo o fogo-fátuo de fantasias impuras ou trilhando com passos firmes a estrada do vigoroso e elevado esforço, o homem chega finalmente a fruí-los e realizá-los nas condições exteriores de sua vida. As leis de crescimento e adaptação prevalecem em toda parte.

Ninguém chega ao botequim ou à cadeia pela tirania do destino ou das circunstâncias, mas através dos atalhos dos pensamentos sórdidos ou dos desejos vis. Tampouco ninguém de mente limpa cai de repente no crime, pressionado por qualquer força exterior; o pensamento criminoso há muito vinha sendo secretamente alimentado no coração, e a hora da oportunidade revelou sua força acumulada. Não são as circunstâncias que fazem o homem — elas o revelam a si próprio. Ninguém mergulha no vício e nos sofrimentos que dele resultam sem que haja antes inclinações más, como ninguém chega à virtude e à felicidade pura que ela acarreta sem um constante cultivo de aspirações virtuosas; portanto, o homem como amo e senhor de seus pensamentos é o edificador de si próprio, o modelador e autor de tudo o que o cerca. Já ao nascer, a alma é o que ela é, e a cada passo de sua peregrinação terrena vai atraindo conjuntos de condições que a revelam, que são os reflexos de sua própria pureza e impureza, de sua força e de suas fraquezas.

Os homens não atraem aquilo que eles *querem*, mas sim aquilo que eles *são*. Seus caprichos, fantasias e ambições são distorcidos a cada passo, mas seus pensamentos e desejos mais secretos nutrem-se de seu próprio alimento, quer seja ele sujo ou limpo. A "divindade que forja nossos destinos" está em nós mesmos; é o nosso próprio "eu". O homem é manietado somente por si mesmo: pensamento e ação são os carcereiros do Destino — se forem vis, aprisionam; são também os anjos da Liberdade — se forem nobres, libertam. O que o homem obtém não é aquilo que ele deseja e pede a Deus, mas o que por justiça recebe. Seus desejos e preces só serão gratificados e atendidos se se harmonizarem com seus pensamentos e atos.

À luz dessa verdade, qual será então o sentido de "lutar contra as circunstâncias"? É que o homem está sempre se revoltando contra algum efeito externo, ao mesmo tempo que sem cessar alimenta e preserva a causa em seu coração. Essa causa pode assumir a forma de um vício consciente ou de uma fraqueza inconsciente; mas seja ela o que for, retarda obstinadamente os esforços do seu portador, e assim clama bem alto por um remédio. Os homens vivem ansiosos por melhorar suas condições, mas não querem melhorar-se a si mesmos; com isso, permanecem amarrados. O homem que não recua face à autocrucifixão nunca deixará de realizar o objetivo a que seu coração visa. Isso é tão verdade quanto às coisas da terra quanto às do céu. Até mesmo aquele cujo único objetivo for adquirir riquezas deve estar preparado para fazer grandes sacrifícios pessoais até que possa atingir a sua meta, quanto mais aquele que almeja realizar uma vida forte e bem equilibrada.

Vejamos o exemplo de alguém que esteja na mais extrema pobreza. Anseia ardentemente por melhoras no seu ambiente e no seu lar, mas está sempre faltando ao trabalho, e acha justo tentar enganar o patrão sob o pretexto de que não recebe um salário suficiente. Esse indivíduo não compreende os mais simples rudimentos daqueles princípios que constituem a base da verdadeira prosperidade, e não só se acha totalmente despreparado para emergir da sua miséria como na realidade estará atraindo para si misérias ainda piores por abrigar e traduzir em atos pensamentos indolentes, fraudulentos e covardes.

Imaginemos um homem rico que tenha sido vítima de uma enfermidade dolorosa e renitente resultante de sua gula. Está disposto a pagar altas somas para se ver livre dela, mas não quer sacrificar seus pendores glutônicos. Quer satisfazer o seu gosto por iguarias requintadas e antinaturais e ao mesmo tempo conservar a saúde.

Esse sujeito está totalmente despreparado para ter saúde, porque ainda não aprendeu os princípios básicos de uma vida saudável.

Temos agora um empregador de mão de obra que adota medidas desonestas para evitar o pagamento de salários justos aos seus operários e, na esperança de alcançar maiores lucros, reduz esses salários. Tal empresário está também totalmente despreparado para a prosperidade, e quando se surpreender falido, tanto no que diz respeito à reputação quanto aos seus bens, lançará a culpa às circunstâncias sem saber que é o único responsável pelas condições em que se encontra.

Citei esses três casos apenas como exemplos ilustrativos da verdade segundo a qual o homem é o causador (embora quase sempre inconscientemente) das circunstâncias que o cercam e de que, ao mesmo tempo que visa a um bom fim, está continuamente frustrando a sua realização por encorajar pensamentos e desejos que não podem de forma alguma harmonizar-se com esse fim. Tais exemplos poderiam ser multiplicados e variados quase que ao infinito, mas isso não é necessário, visto que o leitor, se assim o decidir, poderá acompanhar a ação das leis do pensamento em sua própria mente e vida e enquanto isso não for feito meros fatos externos não poderão servir de base para o raciocínio.

Todavia, as circunstâncias são tão complicadas, o pensamento tem raízes tão profundas e as condições de felicidade variam tanto de indivíduo para indivíduo, que não se pode julgar o estado de alma global de alguém (embora a própria pessoa possa conhecê-lo) somente pelo aspecto externo de sua vida. Um homem pode ser honesto em certos sentidos e, entretanto, passar privações; outro, pode ser desonesto em certos sentidos e, mesmo assim, enriquecer; mas a conclusão geralmente tirada de que fulano fracassou *exatamente por causa de sua honestidade* e que sicrano prospera *justamente porque é desonesto* é o resultado de um julgamento superficial de que o homem desonesto é quase que totalmente corrupto e o honesto quase que totalmente virtuoso. À luz de um conhecimento mais profundo e de uma experiência mais ampla, verifica-se que tal julgamento está errado. O homem desonesto pode possuir algumas virtudes admiráveis que o outro não possua; e o honesto poderá ter vícios odiosos que não existam no outro. O homem honesto colhe os bons resultados de seus pensamentos e atos honestos, mas também atrai para si os sofrimentos causados pelos seus vícios. O desonesto colhe do mesmo modo seus próprios sofrimentos e felicidades.

Agrada à vaidade humana acreditar que a gente sofre em consequência de nossas virtudes; mas enquanto o homem não tiver extirpado de sua mente todo pensamento doentio, amargo e impuro e não tiver lavado em sua alma a última nódoa do pecado, não terá condições de saber e declarar que seus sofrimentos são o resultado de suas boas qualidades e não das más; e a caminho dessa suprema perfeição, ainda que há muito a tenha alcançado, ele descobrirá, operando em sua mente e em sua vida, a Grande Lei que é absolutamente justa e, portanto, não poderá pagar o bem com o mal e o mal com o bem. De posse de tal conhecimento, ele saberá, então, volvendo os olhos para sua passada ignorância e cegueira, que sua vida é, e sempre foi, ordenada com justiça e que todas as suas experiências passadas, boas e más, foram o produto equitativo de seu próprio ser não evoluído mas em evolução.

Bons pensamentos e atos jamais produzirão maus resultados; maus pensamentos e atos jamais produzirão bons resultados. Isso equivale a dizer que do trigo só poderá nascer trigo e de urtigas só urtigas. Nós entendemos essa lei no mundo natural e trabalhamos com ela; mas poucos são os que a entendem no mundo mental e moral (embora sua ação nele seja igualmente simples e inevitável), e portanto não cooperam com ela.

O sofrimento é *sempre* o efeito do pensamento errado em algum sentido. É um indício de que o indivíduo está em desarmonia consigo mesmo, com a Lei do seu ser. A exclusiva e suprema utilidade da dor é a de purificar, de queimar tudo o que é inútil e impuro. Para aquele que é puro a dor deixa de existir. Não teria sentido levar o ouro ao fogo depois que a ganga já foi eliminada, e um ser perfeitamente puro e esclarecido não poderia sofrer.

As circunstâncias que o homem enfrenta no sofrimento são o resultado de sua própria desarmonia mental. As circunstâncias que o homem enfrenta e recebe com bem-aventurança são o resultado de sua própria harmonia mental. A bem-aventurança, não os bens materiais, é a medida do pensamento reto; a infelicidade, não a falta de bens materiais, é a medida do pensamento errado. Um homem pode ser amaldiçoado e rico; pode ser abençoado e pobre. Bênçãos e riquezas só se juntam quando as riquezas são justa e sabiamente usadas; e o pobre só se torna miserável quando considera sua sorte como um fardo injustamente imposto.

Indigência e vício são os dois extremos da infelicidade. Ambos são igualmente antinaturais e o resultado de desordem mental. Homem algum atinge um condicionamento adequado enquanto não se sente feliz, saudável e próspero; e a felicidade, a saúde e a prosperidade são o resultado de um harmonioso ajustamento do interior ao exterior, do homem ao seu meio.

O homem só começa a ser homem quando para de lamentar-se e de proferir injúrias, e começa a buscar a justiça oculta que regula sua vida. E na medida em que adapta sua mente a esse fator regulador, deixa de acusar os outros de serem a causa de sua situação, e começa a edificar-se com pensamentos fortes e nobres; para de espernear contra as circunstâncias e começa a *usá-las* como ajudas para alcançar um progresso mais rápido e como um meio de descobrir dentro de si próprio forças e possibilidades ocultas.

A Lei e não a confusão é o princípio dominante no universo; justiça e não injustiça constitui a alma e substância da vida; honestidade e não corrupção é a força modeladora e impulsionadora do governo espiritual do mundo. Assim sendo, o homem tem apenas que endireitar a si próprio para endireitar o universo; e durante o processo de endireitar-se, ele descobrirá que na medida em que modifica seus pensamentos em relação às coisas e ao próximo, as coisas e o próximo se modificam em relação a ele.

A prova dessa verdade está em toda pessoa e, portanto, poderá ser facilmente investigada por meio de uma introspecção sistemática e da autoanálise. Modifique alguém radicalmente seus pensamentos, e se assombrará ante a rápida transformação que isso efetuará nas condições materiais de sua vida. Imaginamos que o pensamento pode ser mantido em segredo, mas não pode; ele se cristaliza rapidamente em hábitos e os hábitos se concretizam em circunstâncias. Pensamentos animalescos cristalizam-se em hábitos de embriaguez e sensualidade, os quais por sua vez se concretizam em circunstâncias de miséria e doença: pensamentos impuros de qualquer tipo cristalizam-se em hábitos enervantes e tumultuantes, os quais se concretizam em circunstâncias confusas e adversas; pensamentos de medo, dúvida e indecisão cristalizam-se em hábitos fracos, covardes e irresolutos, os quais se concretizam em circunstâncias de fracasso, indigência e servil dependência; pensamentos preguiçosos cristalizam-se em hábitos de falta de higiene e desonestidade, os quais se concretizam em circunstâncias de sujeira e mendicância; pensamentos de ódio e condenação cristalizam-se em hábitos de acusação e violência, os quais se concretizam em circunstâncias de injúria e perseguição; pensamentos egoístas de todos os tipos cristalizam-se em hábitos de egocentrismo que se concretizam em circunstâncias mais ou menos infelicitantes. Por outro lado, bons pensamentos de todos os tipos cristalizam-se em hábitos de gentileza e bondade, os quais se concretizam em circunstâncias risonhas e luminosas; pensamentos puros cristalizam-se em hábitos de temperança e de autocontrole, os quais se concretizam em circunstâncias de repouso e de paz; pensamentos de coragem, autoconfiança e decisão cristalizam-se em hábitos viris, os quais se concretizam em circunstâncias de êxito, abundância e liberdade; pensamentos enérgicos cristalizam-se em hábitos de limpeza e atividade, os quais se concretizam em circunstâncias de satisfação; pensamentos amáveis e de perdão cristalizam-se em hábitos de gentileza, que se concretizam em circunstâncias protetoras e preservadoras; pensamentos de amor e de altruísmo cristalizam-se em hábitos de disposição espontânea para perdoar, os quais se concretizam em circunstâncias de segura e duradoura prosperidade e verdadeira riqueza.

A persistência em determinada linha de pensamento, seja ela boa ou má, não pode deixar de produzir seus efeitos sobre o caráter e as circunstâncias. Ninguém pode escolher *diretamente* as circunstâncias de sua vida, mas podemos escolher nossos pensamentos, e assim, indireta porém seguramente, moldar nossa situação.

A natureza ajuda todo homem na gratificação dos pensamentos que ele mais estimula, e apresentam-se oportunidades que trazem mais rapidamente à tona tanto os maus como os bons pensamentos.

Ponha um homem paradeiro a seus pensamentos pecaminosos e o mundo todo se abrandará em torno dele, mostrando-se pronto para ajudá-lo; afaste ele seus pensamentos fracos e doentios e — maravilha! — de todos os lados surgirão oportunidades para ajudar suas enérgicas resoluções; que ele encoraje seus bons pensamentos, e nenhum mau destino o amarrará à miséria e à vergonha. O mundo é o seu caleidoscópio, e as múltiplas combinações de cores que a cada minuto sucessivo se apresenta a você são as imagens estranhamente adaptadas de seus pensamentos em permanente mutação.

"Tu serás aquilo que desejares ser;
Deixa que o fracasso descubra o seu falso conteúdo

Nas 'circunstâncias' desse pobre mundo.
O espírito, porém, o despreza e é livre.

"Ele domina o tempo e conquista o espaço;
Ele intimida o Acaso, esse presumido embusteiro,
E ordena à tirana Circunstância
Que troque a coroa pelo posto de escrava.

"A humana Vontade, essa invisível força
Nascida de uma alma imortal
Pode abrir caminhos para qualquer meta
Embora muros de granito se lhe anteponham.

"Não te impaciente a longa espera,
Suporta-a como alguém que compreende;
Quando o espírito se ergue e assume o comando,
Os deuses estão prontos para obedecer."

Efeito do Pensamento sobre a Saúde e o Corpo

Efeito do Pensamento sobre a Saúde e o Corpo

O corpo é o escravo da mente. Ele obedece às operações da mente, quer elas sejam deliberadamente escolhidas ou automaticamente manifestadas. Sob o comando de pensamentos ilícitos o corpo afunda rapidamente na doença e na decadência; dirigido por pensamentos alegres e bonitos, ele se reveste de juventude e de beleza.

Doença e saúde, como as circunstâncias, têm suas raízes no pensamento. Pensamentos doentios se expressarão através de um corpo doentio. Pensamentos de medo — é coisa sabida — matam um homem tão rapidamente quanto uma bala, e embora não tão rapidamente matam sem cessar milhares de pessoas. Os indivíduos que vivem sob o medo da doença são os que adoecem. A angústia leva todo o corpo a entrar num rápido processo de abatimento e o deixa aberto às enfermidades; por outro lado, pensamentos impuros, mesmo que fisicamente não consentidos, não tardarão a destruir o sistema nervoso.

Pensamentos fortes, puros e felizes edificam o corpo em vigor e graça. O corpo é um instrumento plástico e delicado que responde prontamente aos pensamentos que o impressionaram, e hábitos mentais produzirão nele os respectivos efeitos, sejam eles bons ou maus.

Os homens continuarão a ter o sangue impuro e envenenado enquanto propagarem pensamentos sujos. De um coração limpo brotam uma vida limpa e um corpo limpo. De uma mente corrompida brotam uma vida corrupta e um corpo deteriorado. O pensamento é fonte de ação, de vida e de manifestação; torne essa fonte pura, e tudo será puro.

Mudar de regime alimentar de nada adiantará ao homem que não mudar seus pensamentos. Quando alguém purifica seus pensamentos, passa a não desejar mais alimentos impuros.

Pensamentos sadios, fazem hábitos sadios. O suposto santo que não lava seu corpo não é um santo. Quem fortalece e purifica seus pensamentos não precisa preocupar-se com o perigo dos micróbios.

Se você quiser aperfeiçoar seu corpo, preserve sua mente. Se quiser renovar seu corpo, embeleze sua mente. Pensamentos de malícia, inveja, desapontamento, desânimo, privam o corpo de sua saúde e de sua graça. Uma fisionomia carrancuda não é produto do acaso; é resultado de pensamentos sombrios. Rugas que desfiguram são causadas pela insensatez, pela paixão, pelo orgulho.

Conheço uma mulher de 96 anos que tem o semblante luminoso e inocente de uma menina. Conheço um homem que ainda está bem abaixo da meia-idade, cujo rosto é marcado por desarmoniosos contornos. O primeiro exemplo é o resultado de uma disposição meiga e radiante; o segundo, é fruto da paixão e do descontentamento.

Assim como você não pode ter uma habitação arejada e saudável se não permitir que o ar e a luz do sol penetrem em sua casa, também um corpo forte e uma aparência risonha, feliz ou serena só podem resultar de uma mente livremente aberta a pensamentos de alegria, boa vontade e serenidade.

No rosto dos velhos há rugas deixadas pela bondade, outras por pensamentos fortes e puros e outras sulcadas pela paixão: quem não as distinguiria? Para aqueles que tiveram uma vida reta, a velhice é calma, tranquila e impregnada de doce harmonia como um crepúsculo. Conheci recentemente um filósofo em seu leito de morte. Era velho só em anos. Morreu tão suave e tranquilamente quanto havia vivido.

Para dissipar os males do corpo não há melhor médico do que uma mente alegre; para dispersar as sombras do sofrimento e da tristeza não há melhor conforto do que a benevolência. A mente que vive sempre dominada por ideias de maldade, cinismo, desconfiança e inveja, vive confinada nas profundezas de uma prisão construída por ela própria. Mas, pensar bem de todos, tratar todos com alegria, aprender pacientemente a descobrir o bem em todos — são pensamentos altruísticos que representam as próprias portas do céu; e alimentar dia a dia pensamentos de paz em relação a todas as criaturas trará abundante paz a quem assim agir.

Pensamento e Objetivo

Pensamento e Objetivo

Sem que o pensamento esteja ligado ao objetivo não haverá realização inteligente. A maioria das pessoas deixa que o barco do pensamento vogue "à deriva" no oceano da vida. A falta de objetivo é um vício, e semelhante deriva deve cessar para todo aquele que quiser desviar-se da catástrofe e da destruição.

Quem não tiver em sua vida nenhum objetivo central, será presa fácil de mesquinhas preocupações, medos, problemas e autopiedade, indícios, todos esses, de fraqueza que levarão, tão certamente quanto pecados deliberadamente planejados (embora por diferentes rotas), ao fracasso, à infelicidade e a perdas, pois a fraqueza não pode perdurar num universo movido pela energia.

Todo homem deve conceber em seu íntimo um objetivo legítimo e se dispor a alcançá-lo. Deverá fazer desse objetivo o ponto central de seus pensamentos. Poderá ter a forma de um ideal espiritual ou de um objeto mundano, mas, conforme seja sua tendência no momento, deverá focalizar firmemente suas forças mentais nesse objetivo ante o qual ele próprio se colocou. Deverá fazer desse objetivo seu dever supremo e dedicar-se à sua consecução, não permitindo que seus pensamentos se dispersem em efêmeras fantasias, anseios e imaginações. Essa é a estrada real que nos leva ao autodomínio e à verdadeira concentração do pensamento. Ainda que por sucessivas vezes deixe de atingir sua meta (o que forçosamente acontecerá até que a fraqueza seja vencida), *o fortalecimento que isso trará ao seu caráter* será a medida do seu *verdadeiro* êxito, e lhe dará uma nova perspectiva para futuros poderes e triunfos.

Os que não estão preparados para a apreensão de um *alto* objetivo devem fixar seus pensamentos no perfeito cumprimento de seus deveres, por mais insignificantes que suas tarefas lhes possam parecer. Só dessa forma podem os pensamentos ser concentrados e focalizados, a resolução e a energia desenvolvidas e, uma vez conseguido isso, não haverá nada que não possa ser realizado.

Acreditando na verdade de que *só pelo esforço e pela prática é possível desenvolver a força* — a alma mais fraca que conheça sua própria fraqueza começará imediatamente a exercitar-se e, somando esforço a esforço, paciência a paciência, força a força, jamais deixará de crescer até que, por fim, se torne divinamente poderosa.

Do mesmo modo que o homem fisicamente fraco pode tornar-se forte mediante cuidadoso e paciente treinamento, o homem de pensamentos fracos pode revigorá-los exercitando-se na prática do reto-pensar.

Pôr de lado a falta de objetividade e a fraqueza e começar a pensar com um firme propósito, equivale a entrar para a categoria dos fortes que só reconhecem o fracasso como um dos atalhos para a realização; que obrigam todas as contingências a servi-los e que pensam vigorosamente, ousam destemidamente e realizam com mestria.

Tendo determinado a sua meta, o homem deve traçar mentalmente um caminho reto para alcançá-la, seguindo-o sem olhar nem para a direita nem para a esquerda. Dúvidas e temores devem ser eliminados com rigor; eles constituem elementos desintegradores que desviam a linha reta do esforço, tornando-a curva, ineficiente e inútil. Ideias de medo e de dúvida nunca realizam coisa alguma, nem poderiam. Sempre levam ao fracasso. Objetividade, energia, capacidade de realização e todos os pensamentos vigorosos cessam quando a dúvida e o medo se insinuam.

A vontade de fazer brota do conhecimento de que *podemos* fazer. Dúvida e medo são os grandes inimigos do conhecimento, e quem os encoraja, quem não os destrói, atrapalha-se a cada passo.

Quem derrotar a dúvida e o medo terá derrotado o fracasso. Seu próprio pensamento alia-se à força, e todas as dificuldades são enfrentadas com bravura e vencidas com sabedoria. Seus objetivos são plantados no tempo certo e florescem e dão frutos que não caem prematuramente.

O pensamento aliado com destemor à determinação se transforma em força criativa: quem tiver *conhecimento* disso estará pronto para tornar-se algo mais alto e mais forte do que um mero feixe de pensamentos vacilantes e de sensações instáveis; quem fizer isso se transforma no manejador consciente e inteligente de suas forças mentais.

O Fator-Pensamento
na Realização

O Fator-Pensamento na Realização

Tudo o que o homem realiza e tudo o que ele deixa de realizar é o resultado direto de seus próprios pensamentos. Num universo perfeitamente ordenado, no qual a perda do equilíbrio significaria destruição total, a responsabilidade individual deve ser absoluta. A fraqueza e a força de um homem, a pureza e a impureza, são suas e não de outro homem; são produzidas por ele próprio e não por outrem; e só podem ser modificadas por ele mesmo, nunca por outro homem. Sua situação também lhe é própria, e não de outra pessoa. Seu sofrimento e sua felicidade se desenvolvem em seu íntimo.

Como ele pensa, assim ele é; como continuar a pensar, assim permanecerá.

Um homem forte não pode ajudar outro mais fraco a menos que o mais fraco *queira* ser ajudado, e mesmo assim o fraco terá de se tornar forte por si mesmo; pelos seus próprios esforços terá que adquirir a força que admira no outro. Ninguém, a não ser ele próprio, pode modificar seu estado.

Era comum pensar-se e dizer-se: "Muitos homens são escravos porque um deles é opressor; odiemos o opressor". Hoje, entretanto, existe entre um número cada vez maior de pessoas uma tendência para inverter esse julgamento e para dizer: "Um homem se torna opressor porque são muitos os escravos; desprezemos os escravos". A verdade é que opressor e escravo são cooperadores na ignorância e, embora pareçam afligir uns aos outros, na realidade afligem-se a si próprios. Um Conhecimento perfeito percebe a ação da lei na fraqueza do oprimido e na força mal aplicada do opressor; um perfeito Amor, vendo o sofrimento que ambas essas condições acarretam, não condena nem um nem outro; uma perfeita Compaixão abraça tanto o opressor quanto o oprimido.

Aquele que tiver vencido a fraqueza e eliminado todo pensamento egoísta, não será nem opressor nem oprimido. Será livre.

O homem só pode subir, conquistar e realizar, elevando seus pensamentos. Só pode permanecer fraco e abjeto e miserável se se recusar a elevá-los.

Antes de poder realizar qualquer coisa, mesmo no plano mundano, ele terá que elevar seus pensamentos acima da servil acomodação instintiva. Para ter sucesso, não pode renunciar a todo o *instinto* e a todo egoísmo — de modo algum; mas pelo menos uma parte desses dois elementos terá que ser sacrificada. O homem cujo primeiro pensamento é de instintiva autocomplacência jamais será capaz nem de pensar claramente nem de planejar metodicamente; não será capaz de descobrir e desenvolver seus recursos latentes e fracassará em qualquer empreendimento. Não tendo começado a controlar de forma viril seus pensamentos, não terá condições de controlar negócios e de assumir responsabilidades sérias. Não estará apto a agir independentemente e a se manter sozinho. Mas será limitado apenas pelos pensamentos que escolher.

Não pode haver progresso nem realização sem sacrifício, e o sucesso mundano do homem será proporcional aos sacrifícios que ele for capaz de impor a seus confusos pensamentos instintivos, à medida que souber fixar sua mente no desenvolvimento de seus planos, no fortalecimento de sua resolução e de sua autoconfiança. E quanto mais alto conseguir elevar seus pensamentos, mais viril, mais correto e mais justo se tornará, maior será o seu sucesso, mais abençoadas e mais duráveis, suas realizações.

O universo não favorece os avarentos, os desonestos, os pervertidos, embora, por vezes, de maneira apenas superficial, pareça fazê-lo; ele ajuda os honestos, os magnânimos, os virtuosos. Todos os grandes Mestres de todas as idades sempre declararam isso de várias formas, e para pôr à prova e experimentar isso basta persistir na resolução de se tornar cada vez mais virtuoso pela elevação de seus pensamentos.

Realizações intelectuais são o resultado do pensamento consagrado à busca do conhecimento ou da beleza e da verdade na vida e na natureza. Tais realizações por vezes podem estar ligadas à vaidade e à ambição, mas não são o produto dessas características; são o resultado natural de longos e árduos esforços e de pensamentos puros e generosos.

Realizações espirituais são o resultado de altas aspirações. Quem vive constantemente arquitetando pensamentos nobres e elevados, quem se apoia em tudo o que é puro e generoso, tão certo como o sol atinge o seu zênite e a luz a sua plenitude, adquirirá sabedoria e nobreza de caráter e alcançará uma posição de influência e de felicidade.

A realização, seja de que tipo for, é sempre a coroa do esforço, o diadema do pensamento. Com a ajuda do autocontrole, da determinação, da pureza, da honestidade e do pensamento bem dirigido, o homem sobe; movido pelo instinto, pela indolência, pela impureza, pela corrupção e confusão mental ele decai.

Um homem pode galgar os píncaros do sucesso mundano e mesmo os mais altos páramos do plano espiritual e tornar a cair na fraqueza e na desgraça por permitir que pensamentos arrogantes, egoístas e corruptos o dominem.

Vitórias alcançadas através do pensamento reto só podem ser mantidas pela vigilância. Muitos se deixam afrouxar quando o sucesso está garantido e rapidamente recaem no fracasso.

Todas as realizações, quer no mundo dos negócios, do intelecto ou do espírito, são o resultado do pensamento firmemente dirigido, originam-se do mesmo método e são governadas pela mesma lei; a única diferença entre elas reside *na meta que visam atingir.*

Aquele que quiser conseguir pouco terá que sacrificar pouco; aquele que quiser conseguir muito terá que sacrificar muito; aquele que quiser alcançar grandes coisas terá que fazer grandes sacrifícios.

Visões e Ideais

Visões e Ideais

Os sonhadores são os salvadores do mundo. Assim como o mundo visível é sustentado pelo invisível, do mesmo modo os homens, através de todos os seus pecados, tribulações e sórdidas tendências, são alimentados pelas belas visões dos sonhadores solitários. A humanidade não pode esquecer os seus sonhadores; não pode deixar que seus ideais se apaguem e morram; vive neles; reconhece neles as *realidades* que um dia verá e conhecerá.

Compositores, escultores, pintores, poetas, profetas e sábios são os construtores do pós-mundo, os arquitetos do céu. O mundo é bonito porque eles viveram; sem eles, a humanidade que labuta pereceria.

Todo aquele que em seu íntimo alimenta uma bela visão, um ideal elevado, um dia os atingirá. Colombo acalentou a visão de um outro mundo e o descobriu; Copérnico alimentou a visão de uma multiplicidade de mundos e de um universo mais amplo e a revelou; Buda sustentou o ideal de um mundo espiritual de imaculada beleza e perfeita paz e penetrou nele.

Ame suas visões; ame seus ideais; ame a música que lhe toca o coração, a beleza que toma forma em sua mente, a amabilidade que reveste seus pensamentos mais puros, pois deles brotarão todas as situações felizes, todos os ambientes agradáveis; se você simplesmente se mantiver fiel a eles, o seu mundo acabará se edificando.

Desejar é obter; aspirar é alcançar. Acaso os mais baixos desejos do homem receberão a mais plena medida de recompensa e suas mais puras aspirações definharão por falta do alimento que as sustente? Essa não é a Lei: semelhante estado de coisas jamais justificará o "Pedi e recebereis".

Sonhe sonhos altos, e você há de se transformar naquilo que sonhou. Sua Visão é a promessa do que um dia você será; seu Ideal é a profecia daquilo que você um dia, finalmente, revelará.

A maior realização sempre foi, no início, e por algum tempo, um sonho. O carvalho dorme em sua semente; o pássaro espera no ovo; e na mais alta visão da alma, um anjo inicia o seu despertar. Sonhos são os brotos das realidades.

As circunstâncias de sua vida podem não ser adequadas, mas não permanecerão assim por muito tempo se você puder ainda que apenas vislumbrar um Ideal e lutar por atingi-lo. Você não pode viajar *interiormente* e permanecer *exteriormente* imóvel. Imaginemos um jovem duramente oprimido pela pobreza e pelo trabalho; confinado horas a fio numa oficina insalubre; analfabeto e carente de todas as formas de refinamento. Mas ele sonha com melhores coisas; pensa na inteligência, no refinamento, na graça e na beleza. Imagina e mentalmente constrói uma condição ideal de vida; a visão de uma liberdade mais ampla e de um escopo mais largo o domina; a inquietação o impele para a ação e ele utiliza tudo o que consegue poupar de seu tempo e de seus meios, por menos que pudessem representar, para desenvolver suas potencialidades e recursos latentes. Em muito pouco tempo sua mente se modifica de tal forma que a oficina não mais pode contê-lo. Por tal forma se desarmoniza com a sua mentalidade, que ela desaparece de sua vida como uma roupa que despimos, e, com o aumento das oportunidades condizentes com o escopo de suas potencialidades em expansão, ele a abandona para sempre. Anos mais tarde vamos encontrar esse jovem já feito homem maduro. Encontramo-lo já senhor de certas forças mentais que maneja com largo prestígio mundano e com um poder quase inigualado. Em suas mãos manobra os cordéis de gigantescas responsabilidades; fala e — oh, maravilha! — vidas se transformam; homens e mulheres bebem-lhe as palavras e reformam seus caracteres, e como um sol transforma-se no luminoso eixo em torno do qual giram inúmeros destinos. Realizou a Visão de sua juventude. Tornou-se um com o seu Ideal.

Você também, jovem leitor, realizará a Visão (não o ocioso desejo) de seu coração, seja ela vil ou bela ou uma mistura de ambos, pois há de gravitar sempre na direção daquilo que secretamente mais ama. Em suas mãos serão colocados os resultados exatos de seus próprios pensamentos; você receberá aquilo que merece; nem mais nem menos. Seja qual for o seu ambiente atual, você cairá, permanecerá nele ou se alçará com seus pensamentos, com a sua Visão, com o seu Ideal. Você se tornará tão pequeno quanto o desejo que o controla; tão grande quanto a aspiração que o domina; nas belas palavras de Stanton Kirkham Davis: "Você pode estar fazendo suas contas e de repente sairá pela porta que por tanto tempo parecia ser uma barreira diante de seus ideais e se verá diante de uma audiência — a pena ainda enfiada por trás da orelha, o tinteiro ainda na mão — e nesse mesmo instante verá jorrar a torrente de sua inspiração. Poderá estar pastoreando carneiros e — em boquiaberto e bucólico espanto — passará a vagar pela cidade; intrepidamente guiado pelo espírito, entrará na sala do mestre e pouco tempo depois ele dirá: 'Não tenho nada para te ensinar'. E agora, você, que há tão pouco tempo sonhava grandes coisas enquanto pastoreava carneiros, se tornou o mestre. Deixe de lado a serra e a plaina e assuma por si mesmo a regeneração do mundo".

O irrefletido, o ignorante e o indolente, vendo apenas os efeitos aparentes das coisas e não as coisas em si, falam em sorte, em fortuna, em acaso. Vendo um homem enriquecer, dizem: "Que sujeito de sorte!" Notando que um outro se intelectualiza, exclamam: "Como ele é bem dotado!" E percebendo o espírito religioso e a ampla influência de outro, observam: "Como a sorte o ajuda a cada passo!" Não veem as provações e os fracassos e as lutas que tais homens voluntariamente enfrentaram para alcançar a sua experiência; não têm conhecimento dos sacrifícios que eles fizeram, dos inauditos esforços que desenvolveram, da fé que exercitaram para que pudessem vencer o que parecia invencível e realizar a Visão de sua alma. Desconhecem as trevas e os sofrimentos; veem apenas a luz e a alegria, e chamam a isso "sorte"; não veem a longa e árdua jornada, mas apenas divisam a meta risonha, e chamam-na "boa estrela"; não compreendem o processo, mas só percebem o resultado, e chamam-no "acaso".

Em todas as atividades humanas existem *esforços* e *resultados*, e a intensidade do esforço é a medida do resultado. O acaso não existe. "Dons", potencialidades, bens materiais, intelectuais e espirituais são frutos do esforço; são pensamentos concluídos, alvos atingidos, visões realizadas.

A Visão que você glorifica em sua mente, o Ideal que entroniza em seu coração — eis o que você usará para construir sua vida, eis o que você se tornará.

Serenidade

Serenidade

Serenidade de espírito é uma das mais belas joias da sabedoria. É o resultado de um longo e paciente esforço de autocontrole. Sua presença é indício de experiência madura e de um conhecimento bem pouco comum das leis e modos de operar do pensamento.

Um homem se torna calmo na medida em que passa a compreender a si mesmo como um ser de pensamento evoluído, pois semelhante conhecimento exige a compreensão dos outros como resultado do pensamento, e na medida em que ele desenvolve uma compreensão correta e vê cada vez mais claramente as relações internas das coisas através da lei de causa e efeito, deixa de se agitar e de se irritar, de se preocupar e de se queixar, e se torna equilibrado, firme, sereno.

O homem calmo, tendo aprendido a governar-se, sabe como adaptar-se aos outros; e estes, por sua vez, reverenciam sua força espiritual e sentem que podem aprender com ele e confiar nele. Quanto mais tranquilo um homem se torna, maior o seu sucesso, sua influência, sua capacidade para o bem. Até mesmo o comerciante comum verá crescer a prosperidade de seu negócio na medida em que desenvolve um maior autocontrole e equanimidade, pois as pessoas sempre preferem lidar com alguém cujo comportamento é marcantemente igual.

O homem forte e calmo é sempre amado e reverenciado. Assemelha-se a uma árvore que espalha sua sombra em terra sequiosa ou a uma rocha acolhedora em meio à tempestade. "Quem não amará um coração tranquilo, uma vida equilibrada e cheia de doçura? Não importa se chove ou se faz sol ou quais sejam as mudanças por que passam os que possuem essas bênçãos, pois permanecem sempre dóceis, serenos e calmos. Esse raro equilíbrio de personalidade a que chamamos serenidade é a última lição da cultura; é o florescimento da vida, o frutificar da alma. É tão preciosa quanto a sabedoria, mais desejável do que o ouro — sim, do que o mais fino ouro. Quão insignificante nos parece a mera busca do dinheiro se comparada a uma vida serena — uma vida que habita as profundezas do oceano da Verdade, sob as ondas, fora do alcance das tempestades, na Eterna Calma!

"Quantas pessoas conhecemos que amarguram suas vidas, que arruínam tudo o que existe de doce e de belo com temperamentos explosivos, que destroem o seu próprio equilíbrio pessoal e envenenam o próprio sangue! Seria o caso de perguntar se a grande maioria das criaturas não arruína a própria vida e estraga a própria felicidade por falta de autocontrole. Como são poucas as pessoas bem equilibradas que encontramos na vida, como é raro encontrar-se aquele equilíbrio que é a característica de um caráter aprimorado!"

Sim, a humanidade se agita com incontrolada paixão, tumultua-se sob o desgovernado sofrimento, é varrida pelos vendavais da ansiedade e da dúvida. Só o homem sábio, só aquele cujos pensamentos são controlados e purificados, é capaz de impor obediência às borrascas e vendavais da alma.

Almas sacudidas por tempestades, onde quer que estiverdes, sejam quais forem as condições em que viveis, sabei disto — no oceano da vida as ilhas da Bem-aventurança estão sorrindo e as ensolaradas praias de vosso ideal esperam por vós. Segurai com mão firme o leme do pensamento. Na barca de vossas almas repousa o Piloto-Mestre; ele apenas dorme: despertai-o. Autocontrole é força; Pensamento Reto é domínio; Calma é poder. Dizei a vossos corações: "Aquietai-vos, e ficai em paz!"